바라, 봄

조은자

제주도를 사랑하는 남편과 살고 있는
사십춘기 엄마 사람.
제주 이주 도민 9년 차,
사춘기 두 아이를 키우고 있습니다.
40대 초반 나를 찾기 위한 여정 중입니다.

바라, 봄

발 행 | 2024년 07월 31일
저 자 | 조은자
펴낸이 | 한건희
펴낸곳 | 주식회사 부크크
출판사등록 | 2014.07.15.(제2014-16호)
주 소 | 서울특별시 금천구 가산디지털1로 119 SK트윈타워 A동 305호
전 화 | 1670-8316
이메일 | info@bookk.co.kr

ISBN | 979-11-410-9880-3

www.bookk.co.kr

바라,
봄

조은자 지음

프롤로그

30대 후반 제주도 이주해 오면서 치열하게 육아와 밥 벌이를 병행하면서 나를 잊고 살았습니다. 두 아이의 엄마, 남편의 뒷 바라지를 하는 아내로 살다 보니 정작 내 안에 내가 없는 빈 껍데기 같은 느낌, 우울함으로 텅 비어있는 삶을 느꼈습니다.

40대 초반 나를 돌아보고 나를 찾아가는 여정을 하고 있습니다. 한라산, 오름, 카페, 독서를 등을 즐기며, 내가 좋아하는 일의 일상을 기록하며 감사함을 느끼고 있습니다. 올해 3월 제주시평생학습관에서 고영희 작가와 함께하는 매체활용 글쓰기 수업을 들으며 공저책 (봄꽃처럼)을 출간하는 기쁨도 느꼈습니다.

내가 좋아하고 관심이 있으면 직접 하고 느껴보고자 하는 마음으로 사는 중에 만난 글쓰기입니다.

이번 개인 책 출간을 통해서 글을 쓰면서 나의 지난 모습과 현재의 모습을 그리고 미래의 모습을 그려보면서 나를 돌아보는 기회가 되었습니다.

그동안 내가 어떤 사람인지 잘 모르고 살았습니다. 글쓰기를 하면서 내 안의 생각과 마음이 엉켜있다가 정리되어 좋았습니다. 이래도 좋고 저래도 좋은 사람이 주어진 일에는 열심히 진심을 담아 합니다.

오늘 하루의 일상을 소중하고, 뜻깊게 보내고 싶은 마음으로 살고 싶습니다. 40대가 되고 보니 생각만 많아지고 행동하기가 쉽지 않습니다.

내가 하고싶은 일에 관심이 생기면 바로 행동하고 기록하는 마무리를 하고 싶습니다. 차곡차곡 쌓아가는 나의 기록들이 나에게 힘이 되며 새로운 시작의 기회가 되어주고 있습니다.

CONTENT

프롤로그 6

EP.1 나에 대한 탐구 13

안녕, 조은자 /15

안녕, 일상의 기록 /18

아직도 제주 앓이 중입니다 /24

나의 이름을 불러준다면 /28

안녕, 블로그 세상 /31

아로새긴아벨 /33

나만의 공간이 생겼어요 /34

물건도 뜸 들이시나요? /36

좁고 깊은 관계 /39

산책의 여유 /41

커피 한잔 할까요? /43

이쁘게하고 나와 /45

단풍과 함께 /47

오름의 정상에서 /50

안녕, 사라오름 /54

한달에 한번 나에게 선물 /58

여행은 쉼으로 가는 건가요? /65

몇 살때의 자신을 좋아하세요? /67

EP.2 제주 사는 우리 가족 이야기 70

우리 둘만의 시간 /71

천왕사에서 바라본 가을 /73

커피 한잔 할까? /75

안녕, 김녕 요트 /78

안녕, 가족 사진 /83

안녕, 윗세오름 /85

안녕, 물영아리오름 /88

안녕, 수국 /90

안녕, 밭담 /93

안녕, 김녕 바다 /95

안녕, 우리 아들 /97

안녕, 마라도 /103

안녕, 새별오름 /107

안녕, 동백꽃 /109

안녕, 우리 딸 /111

EP.3 나의 꿈 115

현재의 삶 /117

가치 있는 삶 /118

나의 추구하는 삶 /119

오직 나 /121

나의 습관 /122

나이 듦 /124

나의 미래 /125

한발 물러서다 /127

에필로그 129

EP.1
나에 관한 탐구

안녕, 조은자

"나쁜자"
초등학교, 중학교, 고등학교, 대학교까지 내
이름은 늘 놀림 대상이었다. 나쁜자라고 많
이 불렸다. 짓궂은 남자, 여자 친구들이 장난
삼아 놀리기도 했다. 친구들이 나에 대한 애
정, 관심이라고 생각했다.

개명을 유행처럼 많이 할 때도 내 이름이 좋
지는 않았지만 바꾸고 싶지는 않았다.

어릴 적에 우리 집은 할아버지, 할머니, 아빠, 엄마, 삼촌, 오 남매까지 9식구가 모여 살았다.

오 남매 중에서 첫째 딸이다. 내 이름은 할아버지가 지어주셨다. 은자. 그 시절 아빠도 첫째가 태어나 할아버지께 이름은 부탁하신 것 같다. 고모들 이름도 경자, 순자, 숙자를 직접 할아버지가 지으셨다. 나까지 은자가 된 것 같다.

어릴 적에 할아버지가 어린 나를 유모차에 태워 동네를 다니셨다. 첫째로 태어난 손녀가 예쁘다고 사람들한테 자랑은커녕, 못생겼다고 말씀을 하셨다.

솔직한 할아버지.

할아버지가 지어주신 소중한 이름을 그대로 간직하며 살아가고 싶다.

안녕, 일상의 기록

보통의 평범한 일상의 하루를 기록과 기억하기 위해 나는 오늘도 핸드폰으로 사진을 찍는다.

예전에는 내가 사진 찍히는 것을 좋아했었다. 20대 싸이월드가 한창 인기가 있을 때다. 남편과 연애 할 때, 남편은 카메라를 꼭 갖고 다녔다. 캐논 DSLR 카메라 렌즈 기본 렌즈와 인물모드 렌즈가 있었다. 연애하는 동안 나를 열심히 찍어주었다. 지금은 핸드폰으로도 사진이 잘 찍었지만, 그 시절에 카메라는 필수품처럼 갖고 다녔다.

카메라에 있는 사진들을 싸이월드에 기록으로 남기면서 추억이 쌓여가는 것을 좋아했다. 그러나 결혼을 하고 두 아이를 키우기 위해 정신없이 보낸 30대가 지나고 40대 초반을 있다.
사진 찍히기 좋아했던 나는 이제 없다. 이제는 일상의 기록 사진을 찍는다.

동네 카페에서 마시는 커피 한 잔, 동네 산책하다가 보게 되는 들꽃과 나무들, 도서관에서 앉아 책을 읽다가 문득 쳐다본 하늘, 두 아이와 함께 보내는 찰나의 순간들을 사진으로 남겨 본다.

핸드폰에만 잠들어 있는 사진을 블로그와 SNS에 기록하면서 오프라인으로 마주하게 세상에서 온라인 세상까지 한층 더 시야가 넓어졌다.

제주 9년 차 이주 도민, 아직도 제주도에 갈 곳이 더 많이 있다는 것을 안다. 제주 일상의 기록들을 차곡차곡 기록하고 내 마음속에 기억하고 싶다. 나의 하루의 일상 속에서 잊고 지나간 스쳐 지나간 소중한 일을 나중에 하나씩 꺼내 보는 재미가 있다.

마흔이 넘으니 시간이 얼마나 빨리 지나가는지 모른다. 하루가 금방 지나간다. 남들과 똑같이 바쁜 일상 속 하루가 소중하다는 것을 깨닫고 있다. 하루를 소중히 여겨 보통의 일상을 기록하는 삶을 꿈꾸고 있다.

"기록으로
숨 쉬는 나의 일상"

아직도 제주 앓이 중입니다.

남편은 우리 제주도에 가서 사는 건 어떨까?

나에게 물어왔다. 뜬금없이 들린 이 한마디
에 나는 잠시 생각을 했다. 강원도에서 태어
나 자라면서 여기를 벗어나 본 적이 없다.
결혼하여 두 아이도 모두 강원도에서 태어났
다. 네 가족 안정된 삶을 살기 위한 제주도
이주였다. 나에게 제주도 이주는 도전과 가
족의 사랑으로 이루어졌다.

가족은 절대로 떨어져 사는 건 안 된다는 생
각이다. 그곳이 제주도든 외국이든 나에게는
상관이 없었다. 우리 가족만 같이 있을 수
있다면 어디든 갈 수 있다.

강원도에서 자영업 하던 남편의 사업이 기울 무렵 새로운 대안으로 여러 가지의 제안과 새로운 곳 물색을 하던 중이었다.

경기도 가평부터 전라남도 순천까지 여러 곳을 다녀보았다. 그 찰나 제주도 4박 5일의 짧은 여행이 우리 가족의 터닝포인트가 되었다.

푸른 자연과 에메랄드빛 바다가 공존하는 이 곳 제주도에서 새로운 시작을 결심하였다. 제주도 여행 와서 제주도의 매력에 빠져 사는 9년 차 이주 도민의 삶.

나는 아직도 제주도 앓이 중이다.

"제주는 곧 바다"

나의 이름을 불러준다면

제주도 이주 후 1년이 지날 무렵이다.

남편의 자영업으로 안정될 무렵, 두 아이 어린이집을 보내게 되었다. 나도 나의 일이 찾고 싶었다. 경력 단절 여성을 지원해 주는 프로그램이 있다고 하여 제주 여성 인력 개발센터에 문을 두드렸다.

8주 과정 교육을 받고 나서 이력서접수를 하였다. 내가 지원한 곳은 제주시 지방 법원 근처에 있는 법무사사무실이다. 3개 사무실에서 면접을 보았다.

마지막 면접 본 곳에서 합격하였다. 면접 보고 나서 바로 출근 가능 여부를 물어보셔서 당황했던 기억이 있다. 나중에 법무사사무실

면접 보던 사무실 직원 중에서 제일 어리다고 하여 뽑게 되었다고 한다.

그곳에서 5년을 근무했다. 그동안 잊고 있었던 내 이름을 불러준 곳이다. 결혼하고 나서 엄마로, 아내로, 며느리로만 있다가 이름을 불러주는 것만으로도 좋았다. 나를 있는 그대로 인정 해주는 느낌이 들었다.

"나의 이름은,"

안녕, 블로그 세상

지금은 남편의 일을 도와 같이 자영업을 하고 있다. 자영업의 세계란 정말 힘들다. 정신적으로 힘든 날, 육체적으로 힘든 달, 매일매일 똑같은 일의 반복 속에서 숨 쉴 틈 없이 휴무 없이 강행 중이다.

우연히 배운 블로그 강의가 나의 삶 속에 비타민처럼 다가왔다. 새로운 세상과의 연결고리 느낌이 든다. 디지털 배움터 무료 강의가 네이버 제주도 맘카페에 올라왔다. 매주 일주일에 한 번, 오전에 하는 강의로 한번 배워 보고 싶었다. 강의 제목은 나다운 블로그 운영하기이다.

블로그 강의가 듣기 위해서는 노트북이 필요했다. 나에게 장비란 없기에, 남편에게 노트북이 필요하다고 말했다. 남편은 필요하단 한마디에 아무 말 없이 당근으로 노트북 중고를 사 주었다. 나만의 재산목록 첫 노트북이 생겼다. 블로그 같이 배우러 오신 분들은 30대부터 70대까지 다양했다. 집과 자영업 틀 속에만 지내다가 블로그로 인하여 온라인, 오프라인 사람들 속에서 소통이 시작되었다. 아직도 소통은 진행 중, 매달 콘텐츠 데이트 목적으로 모임을 지속하고 있다.

아로새긴아벨

블로그 명을 새로 만들 때 고민이 정말 많았다. 많은 생각과 조언 속에서 내가 선택해야 하는 것. 한글부터 영어명까지 내가 좋아하고 되고 싶은 마음을 담은 단어를 찾기 시작했다. 책도 보고 인터넷도 찾아보고 도서관 가서 둘러보기도 했다. 일상의 모든 눈에서 단어만 블로그 명으로 할만한 단어들로만 보이기 시작했다.

한 단어에 아로새기다 단어에 마음이 갔다.

"아로새긴다"
1. 무늬나 글자 따위를 또렷하고 정교하게 파서 새기다.
2. 마음속에 또렷이 기억하여두다.

평범한 나의 일상을 마음속에 또렷이 기억하고 싶은 삶을 살고 싶다.

나만의 공간이 생겼어요.

내가 좋아하는 것들, 쓰기 책 중에서 김재용 작가님께서 나를 잃지 않기 위해 눈물로 얻은 책상 이야기가 나온다. 8자 장롱과 침대만으로 꽉 찬 방에 문 반만 열리는 와중에 책상을 사서 책도 읽고 일기도 쓰면서 영혼의 깨달음을 채우기 시작하셨다고 쓰여있다.

우리 집에는 안방, 작은방 2개, 거실 겸 주방이 있다. 안방은 우리 집 가장 남편이 있고, 작은방에는 각자 아들, 딸 방이다.

집에는 나만의 공간이 없다. 거실 창가 쪽에 당근으로 노트북 하나 놓을 수 있는 책상을 하나 샀다. 그 작은 책상 위에는 남편이 사준 노트북이 가지런히 놓여있다. 그곳에 앉아 책도 읽고, 글도 쓰고, 일기를 쓴다.

지금은 나만의 공간이 생겨 그 안에 있으면 마음이 편안해진다. 더 욕심이 생겨 나의 방도, 나중에는 작업실에 있는 나도 상상해 보면 즐겁다.

물건도 뜸 들이시나요?

현관 벨이 울린다 "띵동" 택배가 도착했다.

내가 20대 무렵에 소녀시대의 스키니진이 유행하던 시절이 있었다. 그때 검정 스키니진을 사서 마르고 닳도록 입었던 기억이 있다. 여동생이 나에게 언니는 옷을 사서 마음에 들면 교복처럼 입는다고 말하곤 했었다.

나는 옷이나 신발을 택배로 주문한다. 교복처럼 입는 나. 아직도 맞다. 옷은 쇼핑몰 하나의 사이트만 늘 보고 주문을 한다. 운동화는 나이키, 샌들은 크록스 딱 두 가지만 본다.

택배가 도착하고 나면 택배를 뜯어 놓고는

입지도 신지도 않고 있는 그대로 박스 상태로 둔다. 물건과 나 사이의 친해지는 시간이 필요하다.

집에서는 전기밥솥으로 밥을 한다. 어릴 적 친정엄마는 늘 압력밥솥으로 밥을 하셨다. 지금도 압력밥솥으로 밥을 하신 후에 그 밥을 전기밥솥으로 옮겨 담으신다. 압력밥솥으로 밥을 하면 뜸 들이는 시간이 필요하다. 압력솥에 김이 빠지는 시간이다. 김이 빠져야 뚜껑이 열려 밥을 맛있게 먹을 수 있다.

옷과 신발과 친해질 시간, 너와 나의 친해질 시간, 즉 뜸 들이는 시간.

내가 그들과 같이 한 몸이 되어 같이 숨 쉴 수 있는 시간이 필요하다.

좁고 깊은 관계

"너는 스스로 울타리를 쳐 놓고 사람을 만나는 것 같아. 선을 긋고 울타리를 넘어가면 안 될 것처럼"

인간관계에 있어서 가족이든 남이든 지켜야 할 선을 지키고 싶다.

제주도 이주하고 나서 인간관계가 힘이 들었다. 결혼 후 처음으로 사무실에서 일하는 동안 여자가 많은 곳에서 일했다. 결혼 전에는 여자 혼자인 곳에서 일을 주로 했다. 나보다 나이 많은 여자 직장상사였다. 선을 넘는 대화는 되도록 하지 않았고, 내가 주어진 업무 이외의 사적인 말은 되도록 삼갔다.

나는 첫인상을 중요하게 생각한다. 나와 맞는 사람인지 아닌지를 나의 머릿속에서 생각한다. 언젠가 늘 옆에서 지켜보던 남편이 나에게 했던 말이 기억난다. 나의 인간관계는 좁고 깊다고. 내 생각 속에서 멀리서 지켜보다가 서서히 깊이 살아 알아가는 단계가 다소 좀 긴 것 같다.

제주도 이주 후 손가락에 꼽히는 인간관계를 유지하고 있다. 거의 9년을 만난 인연으로 깊은 소울메이트이다. 나의 속마음을 털어놓을 수 있음에 마음의 평온을 찾을 수 있다

같이 이야기를 나눌 수 있음에 마음이 스르륵 풀리는 마법 같은 순간이 있다. 오래간만에 만나도 어제 만나는 어릴 적 친구처럼 반갑다.

산책의 여유

아침에 일어나 두 아이 학교를 챙겨 보낸다.
아들과 딸 방을 간단히 정리하고, 거실에 로
봇청소기를 돌린다. 집안 곳곳에 널린 빨래
들을 집어서 세탁기를 돌린다. 양치질과 세
수를 하고, 머리를 질끈 묶어 모자 하나를
눌러쓴다.

집에서 나갈 때는 이어폰을 꼭 내 몸처럼
챙긴다. 동네 산책하는 시간은 오전 9시부터
11시까지, mbc 라디오 FM 정지영의 오늘
아침입니다. 라디오와 함께한다.

따뜻한 봄날의 햇살을 받으며 목적지 없이
걷는 나의 아침 일상의 루틴이 된다.

커피 한 잔 할래요?

예전에는 제주도 신상 카페가 생기면 주말에 리스트를 작성하여 카페 가기를 좋아했다. 도장 찍듯 주말마다 가족들과 함께 갔다. 애월, 함덕, 조천, 김녕, 세화까지.

주말마다 카페 투어 지쳐 그만두었다. 내가 주말에 가고자 하는 카페보다 제주에는 너무 많은 신상 카페가 생겼다. 내가 이제는 도무지 도장을 찍지 못할 만큼.

제주여행을 하는 관광객은 카페를 꼭 간다. 비행기까지 타고 와서 카페를 가는데 도민은 마음만 먹으면 갈 수가 있는 존재다.

제주에 사는 도민으로 부러운 존재를 드러내기 위해 도장 찍듯 카페를 다녔다. 하지만 지금은 마음을 내려놓았다.

신상 카페보다는 우리 동네 걸어 다닐 수
있는 자주 가는 카페가 좋다. 작은 동네에
즐겨 내가 앉는 곳, 그 자리는 여전히 남아
있다.

이쁘게 하고 나와

제주도 이주하고 나서는 친구랑 연락하기가
더 어렵다. 친구가 많지도 않아 손가락에 꼽
힌다. 연락하는 어릴 적 친구들은 제주도 여
행 오면 꼭 연락하여 얼굴을 보는 사이다.
전화도 카톡도 잘 하지 않는 스타일로 제주
도 와서 연락해 주면 고맙다.

어릴 적 친구는 연락을 오래 하지 않아도
어제 만난 것처럼 이야기를 나누게 된다.

대학교 다닐 때 친한 친구가 남자를 사귀고
있었다. 남자 만날 때에는 이쁘게 옷도 신발
도 화장도 잘하고 오면서 정작 여자 친구들
만나러 올 때는 그냥 오는 경우가 있었다.
나는 남에게 지적하지 못하는 성격인데 그

때에는 한마디 했다. 나 만나러 올 때는 남자친구 만나러 오는 것처럼 이쁘게 하고 나오라고 말했다. 그게 처음이자 마지막 친구한테 한 마디 조언이다. 그 말을 들은 친구는 그날 이후 나 만나러 올 때 이쁘게 하고 나온다.

나 역시 친구들 만나러 갈 때는 최대한 이쁘게 하고 간다. 상대방에 대한 그게 예의가 아닐까.

자주 만나는 사이도 아니고, 나랑 함께하는 그 시간만큼은 제일 이쁜 모습으로 친구에 대한 예의가 아닐까 싶다.

나 만나러 올 때는 이쁘게 하고 나와.

단풍과 함께

가을이 되면 한라산 천아계곡 단풍을 보러 간다. 단풍이 보고 싶다는 생각이 들면 아침부터 부지런히 서둘러 집을 나선다. 혼자만의 시간을 일부터 만들어 본다. 나만의 시간을 조용히 가진다.

천아계곡 주차장은 좁아 새벽에 오지 않으면 주차가 힘들다. 운전은 직진만 잘할 수 있다. 주차가 아직도 힘든 운전 20년 차.

천아계곡 도로변 큰길에 주차한다. 30분 정도 천천히 걸으며 가본다.

억새와 가을 하늘, 드넓게 펼쳐진 들판도 나의 눈을 사로잡는다. 천천히 걷다 보면 천아계곡 입구가 보인다.

강원도 살 때는 흔한 단풍 구경도 제주도에 살고 보니, 귀한 광경이다. 단풍의 색깔이 저마다 자기 빛깔을 품고 있다. 다양하고 그 자체가 조화롭게 이루고 있다. 넋 놓고 자리를 잡고 앉아 한참을 바라 본다.

눈으로만 보아도 아름다운 단풍을 한번 만져 볼까? 하고 손을 쭉 내밀어 본다.
손끝과 마주하는 단풍의 스침이 자연과의 소통처럼 느껴진다. 자연과 함께 치유되는 나의 몸과 마음이 평온 해 지는 시간,

오름의 정상에서

제주도하면 이효리 이야기가 빠질 수가 없다. 이효리가 자주 갔던 곳으로 궷물오름을 다녀왔다.

항상 오름을 가기 전 화장실 여부를 알아본다. 어릴 적 두 아이를 데리고 오름을 갔을 때, 화장실이 오름 주차장에 없어서 애먹은 기억이 있다.

제주도 오름 중에서 화장실이 잘 되어있는
오름은 새별오름, 궷물오름, 다랑쉬오름이 있
다.

가볍게 올라가 탁 트인 시야를 볼 수 있는
곳을 좋아한다. 궷물오름 정상을 보고 내려
오는 길에 마주한 광활한 평지와 오름의 모
습을 보고 있으면 가슴이 뻥 하고 시원하다.

"궷물오름
정상을 찾아보세요"

안녕, 사라오름

매년 여름이 되면 나면 한라산 사라오름을 가고 싶어 하는 마음이 가득하다. 몇 년 전 우연히 인스타에서 제주의 기록적인 폭우가 쏟아져 사라오름 산정호수가 만수 모습을 보았다.

한라산 사라오름은 제주도 오름 중에서 가장 높은 곳이며, 백록담을 오르는 성판악코스 중간에 위치하여 왕복 4시간이면 갈 수가 있다.

장마 또는 한라산 폭우가 내려야만 산정호수 만수 볼 수 있는 영광을 가질 수 있다.

내 마음속 가고자 하는 의지만 있으면 갈 수

있는 곳이다. 사라오름 산정호수 만수 모습을 보고자 마음 먹는다.

숨이 턱 끝까지 차오르는 끝없는 계단을 오르면 내 눈 앞에 펼쳐진 장관은 물안개와 함께 산정호수의 물이 가득 차 있는 모습을 볼 수가 있다. 등산화를 벗고 바지를 걷어 올리고 사라오름 전망대로 가기 위해 다리를 첨벙첨벙하면서 걸어간다. 처음에는 너무 차갑고 발이 시려서 갈까 말까 망설였다가 발걸음을 내본다.

일상의 반복되는 생활 속에서 내 마음이 지쳐 고되고 힘들 때, 자연으로 와 치유하고자 한다. 그때 때마침 산정호수 만수 인연이 닿으면 더 고맙다.

내가 마치 어린아이가 된 것처럼 순수하고 깨끗한 마음으로 된 것 같다. 사라오름 전망에서 먹는 맥심커피와 컵라면이면 충분한

식사 거리, 사라오름 산정호수의 만수 모습
을 보고자 서울에서 비행기 타고 온 분들도
보았다.

한 달에 한 번 나에게 선물

한 달에 한 번 나에게 주는 선물은 네일아트다. 다른 사람에게 손을 내어 보인다는 것에 대해 부끄러운 생각이 들었지만, 용기 내어 도전해 봤다. 한번 마음먹기가 힘든 일이다. 두 번, 세 번 경험이 쌓일수록 익숙해지고, 이젠 나의 한 몸처럼 되었다.

처음에는 네이버에 미리 예약 하고 방문했다. 원장님 혼자 운영하시는 매장이다. 밝은 미소로 인사를 해주시고, 따뜻한 아메리카노를 한 잔 주셨던 기억이 있다.

처음에는 내 손톱을 원장님께 내어 보이는 게 부끄러웠지만, 용기 내어 두 손을 맡겨 본다. 둥근 라운드의 모양을 잡고 길이는 최대한 짧게 해달라고 했다. 손톱 양쪽과 틈새 살까지 깨끗하고 깔끔하게 정리가 된다. 원장님은 네일케어를 받은 손님들이 네일케어를 하고 나면 마치 목욕탕에 다녀온 것처럼 손님들이 개운하다는 말을 자주 듣는다고 했다. 나도 목욕탕 다녀오면 몸이 가볍고 개운해서 자주 다니는 이유도 있다. 목욕탕에 중독되는 것처럼 네일케어에 중독되는 느낌이 든다. 손톱 양 끝 살이 정리되면 손이 한결 가벼워진 느낌이든다.

이제는 네일컬러 정할 차례이다. 난 선택을 잘 못 한다. 사실 무슨 색깔이 나한테 어울릴지도 모르겠다. 정말 많은 네일컬러가 있다. 그 중 선택하는 일이 너무 어렵다. 이달의 컬러로 선정된 컬러가 다행히 있다. 원장님이 이달의 컬러 몇 가지를 내 손톱에 발라주신다. 그중에서 원장님은 은은한 빛의 컬러가 어울리는 것 같다고 하여 그 컬러로 선택한다. 먼저 베이스를 바르고, 그다음에 이달의 컬러 메니큐어를 바르고, 마무리 탑컬러까지 다 바른다. 납작한 손톱이 봉긋하게 올라가 통통 해 진다.

또 다른 세상이 펼쳐졌다. 예쁘게 네일아트한 내 손

톱을 보고 있자니 기분이 너무 좋아진다. 네일아트를 했을 뿐인데 자신감이 생긴다. 소극적이고 웅크리고 있었던 삶에서 활짝 기지개를 핀 기분이 든다. 커피 한잔 마실 때도 책을 한 장 넘길 때 보이는 내 손톱을 보면 얼굴에 피식 미소가 지어진다.

앞으로 한 달에 한 번 나에게 네일아트 선물한다.

내가 바라보는 나는,

나의 일상을 소중히 여기고 싶은 사람
나의 일과 가족이 안정되기를 바라는 사람
나의 하루를 허투루 보내고 싶지 않은 사람
누구보다 열심히 살아가고 싶은 사람
주어진 환경에 책임을 다하고 싶은 사람
우리 가족 모두 건강하기를 바라는 사람

요즘 꽃이 좋다.

꽃이 예쁘다.
예전에는 그냥 지나쳐 버린 들꽃과 나무도
눈에 보인다.

미처 생각하지도, 알지도 못해 지나쳐 버린
일상의 순간들도 다시 들여다보고 소중해
졌다.

나란 사람.

무언가 하고 있지 않으면 불안한 사람.
손에 연필이라도,
책이라도 잡고 있어야 안심이 되는 사람
휴식을 취하고 있어도
여행하고 있어도
늘 무언가를 하고 있어야 마음이 편하다.

제주의 바다을 보고 있으면,

오늘 일어난 멋진 일 세가지

내가 좋아하는 말
내가 좋아하는 일
내가 좋아하는 사람
내가 살아있음을 느끼는 삶

여행은 쉼으로 가는 건가요?

여행을 가면 더 바쁘고 쉴 틈이 없이 빼곡한
스케줄로 이어져야 직성이 풀리는 나.
여행 뒤에는 꼭 입술이 피곤으로 물집이 잡
혀있어야 뿌듯한 사람.

작년 친정엄마를 모시고 여동생 3명과 베트
남 다낭, 호이안으로 해외여행을 하였다.

여행의 목표는 일상의 일탈과 피로를 풀고자
가는 여행이 아니었던가.

여행 가서도 쉴 수가 없다. 자유여행이지만
패키지급으로 떠나는 여행. 가만히 있으면
불안한 여자 5명이 모여 쉴 틈 없이 보낸다.

바라, 봄

몇 살 때의 자신을 좋아하세요?

대학교에 입학한 3월의 캠퍼스가 생각난다. 잔디밭에 쭉 둘러앉아 커피 한잔 마시면서 이야기를 나누는 시간, 매일 가던 그 잔디밭을 우리는 비밀의 정원이라고 불렀다.

대학교 친구들 모임은 5명이다. 지금은 각자 다른 지역이 살고 있다. 홍천, 춘천, 서울, 부산 그리고 제주 나까지.

주말에 친한 친구들이 모여 춘천에 있는 강촌으로 놀러 가자는 계획을 했다. 화창했던 주중 날씨는 주말에 비가 온다는 소식으로 바뀌고 갈까 말까 망설이게 되었다. 친구들 틈에서 나는 강력하게 가자고 말했다.

어디서 그런 용기가 나왔던지.

우리는 결국 비 오는 날 강촌으로 놀러 갔다. 우산을 쓰고 다니며 구경하고 닭갈비와 막국수를 맛있게 먹고 왔다.

친구들이 가끔 만나면 이야기한다. 나로 인하여 비 오는 날 강촌의 기억이 아직도 기억에 남는다고 한다. 나의 그런 용기가 어디서 나왔을까?

낯설지만 나도 한때는 용기가 많았던 사람이었나 싶다. 지금도 앞으로도 불쑥불쑥 나왔으면 좋겠다.

EP.2
제주 사는 우리 가족 이야기

우리 둘만의 시간

20살 때 처음 남편을 만났다. 춘천의 팔호광장 정류장 앞에서 청바지, 폴로 하얀 반 팔을 입고 있던 그의 모습이 아직도 눈에 선하다. 나보다 큰 눈, 나보다 큰 키, 나보다 더 청량한 느낌의 그에게 첫눈에 반했다.

짧은 100일간 사귀고 잠시 헤어졌다가 24살에 다시 만난 그는 여전히 예전 그대로의 모습이었다. 항상 옆에서 나를 지켜주고 돌봐주며 변함없이 한결같다. 그와 5년 동안 오랜 연애를 하고 결혼했다. 한 가정의 남편과 아내로, 두 아이의 아빠, 엄마로 든든한 한 가정을 이루며 살아가고 있다.

그는 나에 대해 나보다 더 잘 아는 사람이다. 성격이 느리고 서툰 나에게 진정한 내 편이 되어주고 있다. 제주도에 이주해 와서 더 그에게 의지가 된다. 항상 옆에서 묵묵히 아무 말 없이 지지하는 그가 있어서 나는 오늘도 감사함을 느끼며 일상을 지낸다.

　바라, 봄

천왕사에서 바라본 가을

제주 이주 후 천왕사는 처음 가본다. 가을이
되면 가보고 싶은 곳으로 내가 찜해둔 곳.
이번에 남편에게 같이 가볼래? 하니, 흔쾌히
따라나선다. 집에서 20분이면 도착하니 거리
다. 짧은 거리임에도 불구하고 이렇게 나오
기가 쉽지 않다.

웅장하고 장엄한 천왕사의 모습에 절로 머리
가 숙이고 인사한다. 알록달록하게 색 장단
을 맞추듯 숲의 모습이 눈에 들어온다. 마음
이 평온하고 숙연해진다. 하늘 또한 이렇게
이쁠 일인지, 제주 속 일상 순간에 감사함을
느낀다.

커피 한 잔 할까?

따뜻한 햇살이 가득한 5월의 어느 날.

남편이 오랜만에 커피 마시러 나갈까?
물어온다. 차 트렁크에는 캠핑 의자가 준비
되어 있다. 따뜻한 물을 끓여서 보온병에
담아 드립커피을 챙긴다. 애월 바다로 향한
다.

애월로 가는 길에 롯데리아에서 햄버거 세
트를 포장해 간다. 우리 동네에서 차로 20
분 정도 나가면 애월 바다를 볼 수가 있다.

차로 20분. 마음만 먹으면 이렇게 나갈 수
있는데, 뭐가 그리도 바쁜지 이런 시간이 오
래간만이다. 남편이 나랑 데이트하러 가자고

하면 항상 좋다고 한다.

우리 둘뿐인 이 시간, 캠핑 의자 두 개를 꺼내 평평한 자리에 펼치고 드립커피를 꺼내 물을 부어 마신다. 말이 필요 없이 조용하고 한적한 이 시간.

여보! 우리 사이좋게 지내자.

"커피 한 잔 할까요?"

안녕, 김녕 요트

몇 년 전에 서울에 사는 여동생이 제주도로 여름휴가를 왔을 때 두 아이를 데리고 돌고래를 보여주고자 김녕요트투어를 한 적이 있다. 아쉽게도 돌고래를 못 봤지만, 김녕의 푸른 바다와 요트를 체험한다는 것만으로도 좋은 기억이 있다. 이 좋은 추억거리를 남편과 함께 나누고 경험해 보고 싶었다.

블로그 체험단을 시작하면서 아이들과 식당, 카페도 가며 생활비 절감 노력을 한다면서 나를 긍정적으로 바라보는 남편에게 김녕요트투어 선정되었다고 조심스럽게 말했다.

남편은 골프, 가게 이외에는 관심도 없고, 골프를 하지 않으면 거의 집에서만 지낸다. 남편이 혹시나 김녕요트 체험을 안 한다고 할까봐 살짝 걱정되었다.

의외로 남편이 흔쾌히 간다고 하며 좋아해 주어서 내심 속으로 기뻤다.

제주시 노형동에서 구좌읍 김녕까지는 자동차로 1시간 정도 걸렸다. 아이들을 학교에 보내고 집 안을 정리하고 남편을 깨워 김녕으로 출발했다. 나름 서둘러 출발했는데도 오전 11시 10분 예약 빠듯하게 도착했다. 매표소에서 승선신고서 작성하고 직원분께 신분증도 보여주었다. 멀미약 두 개도 가방에 챙겼다.

선착장에 하얀색의 크기가 큰 요트가 정착해 있었다. 푸른 바다와 파란 하늘이 눈앞에 보였다. 내가 여기 제주도에 살고있구나 이제야 실감이 났다. 나는 제주도에 살고는 있지만, 시내 쪽에 살고 있어서 전혀 제주스러움은 찾아볼 수가 없다. 내가 사는 주변은 온통 병원, 마트, 학원, 학교, 영화관, 편의점, 카페, 식당 등 걸어서도 가능한 시내 쪽이다. 자동차로 나가야지만 애메랄드 빛의 제주 바다를 볼 수가 있다.

이번 김녕요트투어는 가족 단위 관광객들이 많았다.

부모님과 자녀를 데리고 3대가 여행하는 분들, 아이들 데리고 가족 여행분들이 보였다. 요트 맨 앞에 오메기떡과 제주 감귤 파이, 음료수가 무료로 제공된다. 몇 가지를 챙겨 자리를 잡았다. 날씨는 약간 흐려서 돌고래를 볼 수 있을지 걱정이 되었다.

요트투어가 시작되었다. 점점 넓은 바다로 나갈수록 파도가 심하게 불기 시작했다. 놀이기구 타는 거 좋아하지도 않는데 파도가 점점 높아지더니 바이킹 타는 것처럼 오르락내리락한다. 나는 어디라도 부여잡고 있어야 할 것 같았다. 하지만 남편은 요트 맨 앞 뱃머리에 자리를 잡고 앉았다. 요트에 같이 타 있던 직원분이 제일 좋은 자리라고 안내해 주었다. 흔들리는 파도 속에서 남편은 어린아이처럼 브이를 하고 사진을 찍었다. 파도가 좀 잠잠해지고 나니 남편은 아이들 생각이 났나 보다. 뱃머리 앉았던 자리가 아들이 좋아할 거라고 했다.

나는 해먹에 걸터앉아 바다를 바라보았다. 해맑게 웃고 있는 남편이 보인다. 우리 가족 먹여 살리느라 애

쓰는 남편의 모습이 겹쳐 보였다. 어린아이처럼 놀러 다니기 좋아하는 남편의 웃는 모습을 보는 게 얼마만인지 모르겠다. 진작 좀 같이 다녀볼 걸 후회가 된다.

김녕해수욕장 앞으로 요트가 정박했다. 친절한 직원들이 돌아다니면서 사진을 찍어주셨다. 남편은 연애할 때 내 사진을 잘 찍어주었다. 아이들 태어나고 키우다 보니 나보다는 이제 아이들 사진을 더 많이 찍어준다. 오랜만에 둘만의 시간을 갖는다.

서로 사진을 찍어주면서 연애할 때 생각이 났다. 우리는 스무 살에 처음 만났다. 나는 남편을 첫눈에 반했다. 100일 정도 사귀고 나서 우리는 잠시 헤어졌다가 다시 25살에 만났다. 5년 정도 연애를 하고 29살에 결혼했다. 만남부터 지금까지 벌써 20년 넘게 함께 살면서 언제 시간이 이렇게 흘렀는지.

김녕요트투어를 마치고 선착장에 내려 둘이 사진을 찍었다. 연애할 때 사진 찍었던 것처럼 손잡고 발 사진을 찍었다. 연애할 때 우리는 둘이었지만 이제는 넷이 되어 앞으로 이쁘게 잘 살고 싶다.

안녕, 가족 사진

둘째 아이 돌잔치 스냅 사진을 찍고 난 후, 가족사진 마지막이다. 정신없이 사느라 가족사진은 없었다. 가끔 가는 나들이에 지나가는 사람에게 찍은 가족사진은 휴대전화 사진첩에 있을 뿐이다.

몇 년 전부터 1년에 한 번 수국에 피는 6월이 되면 가족사진을 찍으러 간다. 사진관을 처음 찍었던 한곳에서 매년 찍는다. 처음 찍었던 포즈 하나로 사진을 남긴다. 액자를 하나 만들어 거실 책장 위에 올려놓으니 근사한 인테리어가 되었다..

매년 우리 네 가족이 크는 모습, 나이 들어가는 모습을 보고 있으니 세월의 흔적이 느껴진다.

안녕, 윗세오름

내일 엄마랑 윗세오름 갈래?"
"학교 그럼 결석해?
"응"
"좋아! 갈래."

윗세오름 가고 싶은 마음에 딸에게 물어본다. 올해는 딸이랑 같이 가고 싶었다. 이불속에 누워 이야기를 나누다가 슬쩍 물어봤더니, 덥석 간다고 말한다.

딸과 함께 윗세오름 영실코스를 오른다. 나보다 더 잘 걸어 올라가는 딸을 보며, 뿌듯하다. 언제 또 이렇게 큰 거니.

한라산 윗세오름 가는 코스는 영실코스 또

는 어리목코스가 있다.

나는 병풍바위를 볼 수 있는 영실코스를 더 좋아한다. 작년에는 두 코스를 모두 가고 싶어서 6월에 일주일 간격으로 올라갔다. 아들과 함께 영실코스로 가고, 딸과 함께는 어리목코스로 다녀왔다.

윗세오름의 진달래밭을 보고자 그 풍경을 보고 있으면 내가 제주도에 살고 있음을 느끼게 된다.

숨이 턱 끝까지 차고, 땀이 몽글몽글 나기 시작한다. 병풍바위가 구름 속에 숨어있는 듯한 느낌이 든다. 이 모습 보고자 새벽같이 일어나 여기 한라산에 올라간다.

안녕, 물영아리오름

주말 아침 비가 보슬보슬 내린다. 비가 오면 가고 싶은 곳 물영아리오름이 생각난다. 평소보다 일찍 일어난 아들과 함께 물영아리오름으로 향한다.

제주시에서 출발하여 1시간을 차를 몰고 달려갔다. 서귀포 위치한 물영아리오름 주차장에 도착하니 비가 얼굴 위로 미스트를 해주듯이 수분 가득한 이른 아침이다.

아들과 두 손을 맞잡고 걸어본다. 물안개 자욱한 목장의 모습과 초록한 눈앞에 세상은 여기가 제주도임을 살아 숨 쉬게 해준다. 어릴 적에는 두 아이를 데리고 제주도의 살아 숨 쉬고 있음을 느끼도록 다녔다. 초등학교 고학년이 되니 사춘기가 왔다. 엄마 대신 친구가 우선이지만 이 또한 잘 지나가고 있음에 감사한다.

"추억 하나하나
차곡차곡 쌓기"

안녕, 수국

강원도 살 때는 몰랐던 사실 하나, 제주도에
는 수국이 있다. 매년 6월이 되면 수국을 볼
수가 있다. 제주 유명 수국 명소가 들썩들썩
하다. 나도 덩달아 가고 싶어지는 마음이 생
긴다.

작년 6월에 친정엄마가 제주도에 오셨다. 꽃
을 좋아하는 엄마를 모시고 제주시 동쪽으
로 향했다. 수국정원이 이쁘게 가꾸어진 카
페를 엄마랑 같이 둘러보았다.

순수한 어린아이처럼 좋아하신 엄마의 웃는
얼굴이 생각난다. 꽃을 좋아하는 엄마는 집
에 있는 화분에 꽃이 피면 좋아서 사진 찍
어서 보낸 적도 있다.

수국의 꽃말은 진심이다. 삶에 대해 진심을 하고 싶은 내 마음과 같은 것일까? 꽃망울의 크기가 크고 듬직한 맏 언니 느낌의 수국을 보고 있노라면 나의 모습과 엄마 모습이 같이 떠오른다.

"수국의 꽃말은 진심이래"

안녕, 밭담

제주도에는 매년 다양한 축제 행사가 열린
다. 밭담 축제는 매년 아이들과 함께 가고
있다. 밭담 축제 체험 활동 중에서 밭담 걷
기 행사를 좋아한다.

나는 제주도 살고 있지만, 시내 쪽에 살고
있어서 전혀 제주스러움을 찾아볼 수가 없
다. 내가 사는 주변은 온통 병원, 마트, 학
교, 학원 등 걸어서도 가능한 시내 쪽이다.
자동차로 나가야지만 에메랄드빛의 제주 바
다를 볼 수 있는 곳이다.

밭담 축제는 제주도의 밭담을 주변으로 시
골길을 걸으며 주변을 둘러보는 체험이다.
걸어가면서 마을 이장님의 동네 이야기, 옛
이야기를 들려주신다. 또 마을 텃밭에 감자,
고구마, 당근 체험행사도 하여 수확의 재미
도 느낄 수 있다.

"제주 밭담 사이로 바라본 세상"

안녕, 김녕 바다

제주 여름 김녕포구의 바다는 에메랄드빛으로 아름답다. 어릴 적 두 아이는 바닷가에서 모래놀이 좋아하더니, 어느 순간 모래가 싫다고 하여 바다를 멀리했었다. 해수욕장 모래는 싫다는 아이에게 김녕포구는 모래가 없다고 하며 같이 가자고 했다.

우리 네 가족은 김녕포구로 향한다. 아들은 초등학교 3학년 때부터 수영을 배우기 시작하여 2년이 지나니 아빠와 같이 바다 수영을 하는 날이 왔다. 도착 하자마자 더워서 바다에 뛰어든 아빠와 아들이다. 아들은 그사이 오리발도 챙겨 왔다.

딸과 함께 구명조끼를 챙겨입고 바다 위를 둥둥 떠다니기 시작한다. 각자의 취향으로 바다와 시간을 보낸다.

"각자 취향대로 바다 즐기기"

안녕, 우리 아들

두 아이 모두 애지중지 키우면서 살았다. 결혼을 하고 3개월 만에 임신이 되었다. 임신초기에는 임신한 줄도 모르고 여름 계곡에서 다이빙하면서 보냈다.

임신 27주 정기검진으로 병원을 찾았던 나에게 청천벽력같은 소식을 들었다. 처음으로 임신했던 나는 몰랐다. 배가 점점 땅기고, 뭉치고, 딱딱해지면 가진통 상태로 배 속에 있어야 할 아이가 일찍 나오게 될 수도 있다는 사실을. 지금 아기가 태어나면 미숙아로 인큐베이터에 들어가고, 폐가 성숙되지 않아 힘들 수도 있다고 했다.

회사 다녔던 나는 병원에 바로 입원하고, 다음 날부터 입원실에서 회사 인수인계까지 해야 했다. 정기검진 간 날부터 출산 35주가 되기까지 병원 침대에서만 누워 있었다. 오른쪽, 왼쪽 팔 안쪽에 바꿔가면서 수액을 맞고, 계속되는 수액 속에 핏줄을 못 찾으면 손등까지 수액을 맞았다. 내가 조금이라도 걸어 다니기라도 하면 배가 뭉치고 딱딱해져 아기가 나올 것 만 같았다. 3개월을 침대에 누워만 있어 뱃 속의 아기 몸무게를 키우고 폐가 성숙되기까지 34주가 되었다. 그 후 일주일이 지나 임신 35주 첫째 아들이 태어났다. 그동안 애지중지 배 속에서 키워 자연분만으로 태어난 아들은 올해 중학생이 되었다.

어렵게 낳은 아이 만큼이나 내 몸과 마음을 다해 키웠다. 주말에 항상 두 아이를 데리고 제주도 바다, 오름, 한라산, 관광지 등을 데리고 다녔다. 서울 사람들은 제주도 비행기 타고 와서 즐기는데, 제주도 살고 있는 두 아이를 위해 내 몸이 힘들어도 제주도에 살고 있음을 아이들에게 느끼게 하고 싶었다. 내 욕심이었을까? 나는 더 아이들이랑 시간을 보내고 싶었다. 사춘기가 접어선 두 아이는 이제 내가 주말에 어디라도 가자고 하면 집에 있고 싶다고 하거나 친구들이랑 약속이 있다고 거절했다.

이번에 블로그 체험단에 서귀포 수제버거 매장을 신청해서 선정되었다. 신청할 때부터 아들과 함께 갔으면 좋겠다는 생각을 했다. 햄버거를 좋아하는 아들이다. 특히 아들은 한 달에 2~3번 정도는 프렌차이즈 햄버거를 먹을 만큼 좋아한다.

"주말에 수제버거 먹으러 엄마랑 같이 갈래?"
이 한마디에 아들은 순순히 따라나선다.
제주시 노형동에서 서귀포 수제버거 매장까지는 자동차로 한 시간 정도 걸린다. 아들과 서귀포 가는 그 한 시간 동안 둘이 해보는 오랜만의 대화였다.

새로 오픈한 수제버거 매장에 도착했다. 주변 주차장에 주차하고 걸어서 갔다. 둘이 나란히 걷는데 아들의 키가 제법 내 키를 넘어섰다. 언제 저렇게 컸을까?

서귀포 시내에 위치한 수제버거 매장 안은 깨끗하고 사장님도 젊고, 힙한 공간이다. 화이트와 그린 인테

리어를 한 수제버거 매장은 요즘 MZ세대를 겨냥한 느낌을 주었다. 주말 낮에 방문하니 손님 또한 매장 안에 꽤 있었다.

매장 앞에서 사진도 몇장 찍었다. 카운터에서 미리 블로그체험단이라고 말씀을 드리니 자리를 안내해 주셨다. 아들은 베이컨 치즈버거, 나는 싱글 패티 버거를 주문을 하고, 5,500원을 더 추가하여 세트로 주문했다. 세트를 주문해야 감자튀김이 같이 나온다.

코카콜라와 함께 주문을 하고 기다렸다. 크고 푸짐하게 나온 수제버거와 바삭바삭 갓 튀겨져 나온 감자튀김, 중간중간 마시는 콜라와의 조합은 정말 칭찬할 만하다. 아들이 주문한 베이컨 치즈 버거가 더 맛있고 입에 착착 달라붙었다. 역시 가격 차이는 무시 못하다 싶었다. 감자튀김까지 맛있게 먹고 나왔다. 모든 튀기면 맛있다고 한 말이 생각났다.

직원분들도 친절하고 점심 식사 매장으로 손색이 없을 정도다. 맨날 밥만 먹고 다닐 수 없으니 수제버거도 한 번씩 추천할 만하다.

제주시에서 서귀포까지 왕복 2시간과 수제버거 매장에서의 1시간을 아들과 함께 보냈다. 블로그 체험단으로 맛있는 수제버거 먹고, 대화도 같이 하고 오랜만에 즐겨보는 둘만의 데이트처럼 애틋한 시간이다.

주말에 친구들과 어울리면서 보낼 시간을 나와 함께 보내준 아들이 기특하다. 블로그 체험단이 아니었다면 아들과의 이런 시간도 못 만들었을 것이다. 아들과 또 함께 할 수 있는 블로그체험단 어디 없을까? 블로그 인터넷 사이트를 기웃거려 본다.

"너와 함께 보내는 시간"

안녕, 마라도

제주에 사는 우리 가족은 섬을 여행한다. 제
일 먼저 가본 섬은 가파도이다. 매월 4월에
가파도 청보리 축제가 열린다. 가파도의 푸
른 청보리밭 사이로 자전거 3대를 빌려 섬
곳곳을 둘러본다. 남편은 딸을 태워 2인용
자전거, 나와 아들은 1인용 자전거를 각각
타고 가파도를 구경했다.

마을 중앙에 있는 핫도그 매장에서 핫도그
하나씩 간식 삼아 먹고 바다로 내려가 가파
도의 맑은 바닷속 세상도 보았다.

이번에는 비양도로 네 식구가 가본다. 자전
거를 빌려 비양도 전체를 둘러본다. 작고 아
담한 비양도는 자전거로 몇 바퀴를 돌 수가

있다. 자전거를 반납하고 비양도 중앙에 있는 오름에 오른다. 숨이 턱 끝까지 힘들게 올라간다. 오름 정상에는 하얀 등대를 마주한다. 확 트인 시야 속에서 저 반대편 제주도를 바라보며 우리가 제주도 살고 있음을 피부로 느낄 수 있다.

멀미약까지 먹으며 간 곳은 마라도이다. 예전 tv프로그램 무한도전에서 짜장면 먹으러 간 곳, 그 짜장면 먹으러 마라도가 가고 싶어졌다.

가파도와 비양도는 배를 타고 10분이면 도착하여 멀미약을 먹지 않았다. 마라도는 30분 동안 바다의 파도가 세면 멀미를 할 수 있어서 필수였다. 30분 동안 배를 타고 마라도에 도착한다. 우리나라 최남단 섬 마라도. 넉넉잡고 두 시간 마라도 둘레길을 돌아보면 전체를 본 만큼 작은 섬이다. 둘레길을 걸어보다가 유명한 짜장면 식당으로 들어선다. 해

산물이 올라간 짜장면 한 그릇을 맛있게 먹고 마라도를 구경하기 시작한다.

배 타고 내려 다시 배를 타고 돌아가는 시간은 빨리 돌아온다. 아쉬운 마음뿐이다.

제주도 안의 섬 둘러볼 시간을 좀 더 해주었으면 한다.

"제주도 섬 안의 섬"

안녕, 새별오름

아름다운 제주의 가을 자연 풍경이 보고 싶은 날이 있다. 가을 하면 억새가 생각이 난다. 집에서도 가까운곳 새별오름으로 향한다.

오름 전체가 황금빛 억새로 흩날린다. 주차장에 주차하고 오른쪽으로 걸어서 간다. 새별오름을 오를 때면 다소 숨이 턱 끝까지 차오르는 순간을 넘어서면 정상에 도착한다. 광활하게 펼쳐진 파노라마와 같은 뷰를 감상하고 나면 가슴속이 뚫리는 것 같다.

새별오름을 내려올 때 멋진 억새를 볼 수 있어서 장관이다. 천천히 걸어 내려오며, 억새도 만져보고 한 아름 꺾어보기도 한다. 황금빛 억새의 물결이 바람이 불 때마다 흔들리는 모습을 보면서 제주에 사는 또 하나의 이유가 추가된다.

　바라, 봄

안녕, 동백꽃

매년 겨울이 되면 동백꽃이 보고 싶다.

우리 딸은 엄마가 좋아하는 꽃은 동백꽃이라고 한다. 제주 이주 후 강원도에 살 때 몰랐던 동백꽃, 엄마가 좋아하는 동백꽃 보러 가자고 하면 같이 간다. 남들은 서울에서 비행기 타고 오는데 우리는 한 시간 아니, 30분만 투자해도 동백꽃을 보러 갈 수 있지 않은가.

겨울의 눈 속에 피어나는 동백꽃을 보고 있으면 강인한 삶 속에서 살아 숨 쉬는듯한 마음을 볼 수가 있는 듯하다.

안녕, 우리 딸

안녕 딸아.

너에게 처음 들려주는 이야기를 해볼게. 엄마가 좋아하는 과일이 있다면 딸기야. 너도 지금은 딸기를 제일 좋아해서 엄마 딸이구나 싶어. 딸기가 나올 때 쯤 네가 엄마 뱃속에 왔어.

딸이길 바라면서 딸기라는 태명도 지었지. 엄마가 욕심이 많은 걸까? 결혼하면 아들 하나, 딸 하나 갖고 싶었어. 임신의 기쁨도 잠시뿐. 병원에서는 임신 12주 되던 때부터 가진통 진단으로 또 침대에 누워만 있으라고 하는 거야. 다시 병원 침대 생활에 시작되었어. 병원에서 2주 입원해 있다가 또 집에서 누워만 지내기를 반복했어.

때론 배가 계속 뭉쳐오면 다시 입원하여 수액을 맞아가면서 버티고 버텨왔어. 오로지 너를 배 속에서 키워서 세상에 나오고 싶은 생각뿐. 임신 10개월 꽉 채워 나와준 네가 고마워.

"엄마 옆에 와줘서 고마워"

"너와 함께하는 순간순간마다
즐거워"

"너와 함께하는 순간순간마다
행복해"

EP.3
나의 꿈

나의 현재의 삶

나의 역할을 무조건 열심히 하는 사람이다.
하루하루를 열심히 살고 싶은 마음이 든다.

현재의 삶을 중요시하고 산다. 한 치 앞을
모르는 삶 속에서 오늘 현재를 살고 싶다.

좋은 쪽을 생각하고 행동하려 한다. 행동하
고 선택하는 건 나의 몫이 아니던가. 내가
직접 경험해보고 한 결과에 대해서는 후회도
성취도 나의 몫이기에 나의 결정을 인정한
다.

나의 가치 있는 삶

앞으로 어떻게 살아야 하는가.

나 자신을 사랑해 주고
나 스스로 인정 해주는 삶.

내 안에 답이 있다.

나의 추구하는 삶

삶의 목표에 대해서 생각한다. 일상의 소소
한 일에 감사함을 느끼며 산다. 조금 더 욕
심을 내어 보자면 시간적, 경제적 자유을 원
한다. 여행하듯 삶을 살고 싶다.

새로운 곳을 보고 듣고 느끼는 것을 좋아한
다. 나만의 호기심이 발동하여 그 공간에 내
가 머무르고 싶은 마음이 들면 가고싶다.

사부작사부작 별로 힘들이지 않고 계속 가볍
게 행동해 보자.

오직, 나

내가 마흔이 넘게 살아오면서 내게 주어진
사명을 어깨에 짊어지고 살아온 것 같다. 그
의 아내로, 며느리로, 딸로, 엄마로 책임감과
사명감으로 살아왔다.

이젠 나의 인생을 살고 싶다는 생각이 든다.
인생을 살아가는 동안 가족 또한 중요하다.

누군가에게 짐이 되기 싫어서 무던히도 열심
히 살아왔다. 남들보다 더 잘하기 위해 노력
도 열심히 했다.

나의 습관

나는 정해진 루틴의 습관을 좋아한다.
일정하게 정해진 순서대로 이루어지는 것을
좋아한다.
순서있게 빼곡하게 짜여진 하루의시간.

나이 듦

결혼하기 전에는 주어진 인생처럼 틀 안에
갖추어 놓은 것처럼 살았다. 결혼하고 나서
는 두 아이 키우느라 정신없이 보냈다. 그리
고 지금은 앞으로 나에 대해서 이제 생각해
보는 시간을 갖는다.

나이가 들어갈수록 내 안의 나를 집중해 가
면서 살아가고 싶다.

나의 미래

앞으로 나의 미래에 대해 생각해 본다. 무엇을 해야 잘 할 수 있는 삶일지는 알지 못한다. 딱 정해 놓을 수가 없다. 아직도 생각해 보고 찾는 중이다. 결국 끊임없는 행동과 도전을 해야 한다. 관심이 있는 일이나 좋아하는 일이 있으면 먼저 내가 직접 해 봐야 알 것 같다. 주어진 인생처럼 나의 인생을 살아왔다. 지금도 끊임없이 무언가를 위해 하루 내가 해야 할 행동을 하고 있다.

한발 물어서다.

지금 나의 인생에서 다시 한번 점검하는 시간을 가진다. 그동안 내가 10대에서 20대, 30대, 40대까지의 삶을 돌아보고 앞으로의 인생에 대해서 생각해 볼 시간. 그동안 바쁘다고 넘어가던 나의 인생에서 내 안으로 나를 돌아보는 시간을 가진다.

오 남매에서 첫째로 태어났다. 어릴 적 아빠는 나에게 늘 첫째니깐, 잘해야 한다고 동생들이 나를 보고 있으니 첫째 딸이 잘해야 한다고 하셨다. 내 마음 한편에는 나도 잘하고 싶고 첫째니깐 다 잘하고 싶은 마음이 있었다.
뭐든지 열심히 하고 내가 주어진 일은 나의

몸과 마음을 바쳐서 다 잘하고 싶었다.

하지만 나의 노력과 열정은 아빠의 기대에
못 미치는 삶을 산 것 같다는 생각이 든다.
나는 잘 하고 싶었지만, 기대에 못 미쳐 성
과를 못 해내는 딸에 대한 아빠의 실망감을
생각하면 나 자신이 싫다.

나는 왜 인정받고 싶은 욕구가 있는 걸까?

나 자신은 스스로 인정하지도 못하면서 타인
에게 인정을 받고 싶은 마음.

이쯤 한발 물러서서 생각해 보자.
나의 주체적인 삶을 살고 싶은 건 당연하다.
나의 삶.
나의 몸.
곧 나 자신을 돌아보고 돌고 돌아 나
자신이다.

에필로그

글쓰기보다 설거지가 중요한 사람이었습니다. 이제는 평소의 중요하게 생각하던 집안일을 뒤로하고, 글쓰기에 집중하는 시간을 보냈습니다. 그동안 내가 열정을 다하여 나에게 집중하는 시간을 오래간만에 가져본 것 같아서 뿌듯한 마음이 들었습니다.

이번 개인 책 출간을 통해서 힘들기도 기쁘기도 나에 대해서 많은 생각을 하는 기회가 되었습니다.
자신을 찾아가는 여정을 책 출간 통해 과거, 현재, 미래까지 생각하는 시간을 가졌습니다.

글을 쓰는 동안 나에 대해서 많은 생각과 정리가 되어 많은 부분을 깨닫고, 내가 한 층 더 성장 해 가는 과정을 본 것 같습니다. 내 안의 매 순간 두려움으로 마주했던 순간들이 기억이 나고 나에 대해서 이해하고 인정해 주는 시간, 이제 시작인 것 같습니다.

바라, 봄
인생에서 한 발 뒤로 물러서서 나를 바라, 봄.